W9-COV-822

¿Quién se ha llevado mi queso?

Spencer Johnson

¿Quién se ha llevado mi queso?

Una manera sorprendente de afrontar el cambio en el trabajo y en la vida privada

EDICIONES URANO

Argentina - Chile - Colombia - España
México - Venezuela

Título original: *Who Moved my Cheese?*
Editor original: G. P. Putnam's Sons, Nueva York
Traducción: Montserrat Gurguí

Aribau, 142, pral. - 08036 Barcelona
http://www.edicionesurano.com/

ISBN: 84-7953-338-2
Depósito legal: B - 43.340 - 2000

Fotocomposición: Ediciones Urano, S. A.
Impreso por Romanyà Valls, S. A. - Verdaguer, 1 - 08786 Capellades (Barcelona)

Impreso en España - *Printed in Spain*

Dedicado a mi amigo el doctor Kenneth Blanchard, cuyo entusiasmo por esta historia me animó a escribir este libro y cuya ayuda ha permitido que llegue a tantísimas personas.

Los planes mejor trazados
de los ratones y de las personas
a menudo se tuercen

ROBERT BURNS, 1759-1796

La vida no es un pasillo recto y fácil
por el que viajamos libres y sin obstáculos,
sino un laberinto de pasajes
en el que debemos hallar nuestro camino,
perdidos y confundidos, una y otra vez
atrapados en un callejón sin salida.

Pero, si tenemos fe,
Dios siempre nos abrirá una puerta
que aunque tal vez no sea
la que queríamos,
al final será
buena para nosotros.

A. J. CRONIN

Índice

La historia

La historia que hay detrás del cuento

Kenneth Blanchard

Me encanta poder contaros «la historia que hay detrás del cuento» *¿Quién se ha llevado mi queso?*, porque eso significa que el libro ya está escrito y todos podemos acercarnos a él para leerlo, disfrutarlo y comentarlo con los demás.

Esto es algo que yo siempre había querido que ocurriera, desde la primera vez que Spencer Johnson, hace ya años, me contó su fantástica historia del «queso», antes de que escribiéramos juntos *El ejecutivo al minuto.**

Recuerdo que pensé lo bueno que era el relato y lo útil que sería para mí desde aquel momento.

¿Quién se ha llevado mi queso? es un cuento sobre el cambio que tiene lugar en un laberin-

* *El ejecutivo al minuto*, Grijalbo, Barcelona, 1995.

to donde cuatro divertidos personajes buscan «queso». El queso es una metáfora de lo que uno quiere tener en la vida, ya sea un trabajo, una relación amorosa, dinero, una gran casa, libertad, salud, reconocimiento, paz interior, o incluso una actividad como correr o jugar al golf.

Cada uno de nosotros tiene su propia idea de lo que es el queso, y va tras él porque cree que le hace feliz. Si lo consigue, casi siempre se encariña con él. Y si lo pierde o se lo quitan, la experiencia suele resultar traumática.

En el cuento, el «laberinto» representa el lugar donde pasas el tiempo en busca de lo que deseas. Puede ser la organización en la que trabajas, la comunidad en la que vives o las relaciones que mantienes en tu vida.

En mis charlas por todo el mundo narro la historia del queso, y muchas veces la gente me dice lo mucho que les ha cambiado la vida.

Lo creas o no, este relato ha salvado carreras, matrimonios e incluso vidas.

Uno de los muchos ejemplos reales es el de Charlie Jones, el respetado locutor de la cadena televisiva NBC, quien confesó que escuchar el cuento *¿Quién se ha llevado mi queso?* salvó su carrera.

Lo que ocurrió fue lo siguiente: Charlie se había esforzado mucho y hecho un buen trabajo retransmitiendo las pruebas de atletismo de unos

Juegos Olímpicos. Por eso, cuando su jefe le dijo que había sido apartado de esa especialidad deportiva y que en los siguientes Juegos tendría que encargarse de las retransmisiones de natación y saltos, se quedó muy sorprendido y se enfadó.

Como no conocía tan bien esos deportes, se sintió frustrado. El hecho de que no reconocieran que había realizado una buena labor lo irritó. Le parecía injusto, y la ira empezó a afectar todo lo que hacía.

Entonces le contaron el cuento *¿Quién se ha llevado mi queso?*

Después de oírlo, se rió de sí mismo y cambió de actitud. Advirtió que lo único que había ocurrido era que su jefe «le había movido el queso», y se adaptó. Aprendió sobre esos dos nuevos deportes y, en el proceso, descubrió que hacer algo nuevo lo rejuvenecía.

Su jefe no tardó en reconocer su actitud y energía nuevas y en aumentar sus retribuciones. Disfrutó de más éxito que nunca y se hizo una excelente reputación como comentarista.

Esta es una de las innumerables historias reales que he oído acerca del impacto que ha tenido este cuento en muchas personas, en todos los ámbitos de la vida, desde el profesional hasta el amoroso.

Tengo tanta fe en la fuerza de *¿Quién se ha*

llevado mi queso? que hace poco regalé un ejemplar de una edición previa del libro a todas las personas (unas 200) que trabajan en nuestra empresa. ¿Por qué?

Porque, como toda empresa que aspire no sólo a sobrevivir, sino a ser competitiva, Blanchard Training & Development está cambiando constantemente. Nos mueven «el queso» sin parar. Mientras que en el pasado queríamos empleados leales, hoy necesitamos personas flexibles que no sean posesivas con «la manera de hacer las cosas aquí».

Y, como todos sabemos, vivir en una permanente catarata de cambios suele ser estresante, a menos que las personas tengan una manera de ver el cambio que las ayude a comprenderlo. Y aquí es precisamente donde entra en acción el cuento del «queso».

Cuando les hablé a mis amigos del cuento y lo leyeron, casi noté que empezaban a desprenderse de energía negativa. Una tras otra, todas las personas de la empresa se acercaron para darme las gracias por el libro y para decirme lo mucho que les había ayudado a contemplar desde una perspectiva diferente los cambios que se producen en nuestra empresa. Esta breve parábola se lee en muy poco tiempo, pero su impacto puede ser muy profundo.

El libro está dividido en tres partes. En la

primera, «La reunión», unos antiguos compañeros de instituto hablan de cómo afrontan los cambios que se producen en sus respectivas vidas. La segunda parte es el cuento en sí, «El cuento: ¿Quién se ha llevado mi queso», y constituye el núcleo del libro. En la tercera parte, «El debate», la gente comenta lo que el cuento ha significado para ella y cómo va a utilizarlo en su trabajo y en su vida.

Algunos lectores del manuscrito prefirieron detenerse al final del cuento y no leer «El debate», a fin de interpretar el significado por sí mismos. Otros disfrutaron leyéndolo porque les estimuló a pensar sobre cómo poner en práctica en su situación lo que les había enseñado el relato.

En cualquier caso, espero que cada vez que releas *¿Quién se ha llevado mi queso?* encuentres algo nuevo y útil en el cuento, tal como me ocurre a mí, y que eso te ayude a afrontar el cambio y a tener éxito, sea lo que sea el éxito para ti.

Con mis mejores deseos, espero que disfrutes con lo que encuentres. Ah, y recuerda: ¡muévete cuando se mueva el queso!

KEN BLANCHARD

San Diego, 1998

¿Quién se ha llevado mi queso?

La reunión
Chicago

En Chicago, un soleado domingo, hombres y mujeres que habían ido juntos al instituto se reunieron para almorzar tras haber asistido a un acto oficial en el centro la noche anterior. Querían saber más cosas de la vida de sus ex compañeros de clase. Después de muchas bromas y una gran comida, entablaron una interesante conversación.

Angela, que había sido una de las personas más populares de la clase, dijo:

—La vida ha seguido una trayectoria muy distinta de la que yo pensaba cuando íbamos al instituto. Han cambiado muchas cosas.

—Es cierto —convino Nathan.

Los demás sabían que Nathan había continuado con el negocio familiar, que funcionaba como siempre, y que desde que ellos recordaban estaba integrado en la comunidad. Por eso los sorprendió verlo preocupado.

—Pero ¿habéis notado que cuando las cosas

cambian nosotros no queremos cambiar? —prosiguió.

—Creo que nos resistimos al cambio porque cambiar nos da miedo —apuntó Carlos.

—Tú eras el capitán del equipo de fútbol, Carlos —dijo Jessica—. Nunca hubiera pensado que algún día llegarías a hablar de miedo.

Todos rieron al advertir que, aunque habían tomado direcciones distintas (desde ser ama de casa hasta trabajar de ejecutivo en una empresa), experimentaban sensaciones similares.

Cada uno de ellos intentaba afrontar los cambios inesperados que se estaban produciendo en su vida en los últimos años. Y casi todos los asistentes admitieron que no habían encontrado una buena manera de hacerlo.

—A mí también me daban miedo los cambios —intervino Michael—. Cuando se produjo un gran cambio en nuestra empresa, no supimos qué hacer. Seguimos actuando como siempre y casi lo perdimos todo. Pero entonces me contaron un cuento que lo cambió todo.

—¿En serio? —preguntó Nathan.

—Sí. El cuento alteró la manera en que yo miraba los cambios, y a partir de ese momento las cosas mejoraron rápidamente... En mi trabajo y en mi vida.

»Entonces divulgué el cuento entre algunas personas de mi empresa, que hicieron lo propio con otras ajenas a ella, y enseguida las cosas empezaron a funcionar mucho mejor porque todos nos adaptamos mejor al cambio. Y muchos dicen lo mismo que yo: que los ha ayudado en la vida privada.

—¿De qué cuento se trata? —preguntó Ángela.

—Se llama *¿Quién se ha llevado mi queso?*

Todos se echaron a reír.

—Me gustaría oírlo —dijo Carlos—. ¿Por qué no nos lo cuentas ahora?

—Desde luego —respondió Michael—. Será un placer para mí... No es demasiado largo.

Y Michael empezó a contar el cuento.

El cuento

ÉRASE UNA VEZ un país muy lejano en el que vivían cuatro personajes. Todos corrían por un laberinto en busca del queso con que se alimentaban y que los hacía felices.

Dos de ellos eran ratones, y se llamaban Oliendo y Corriendo (Oli y Corri para sus amigos); los otros dos eran personitas, seres del tamaño de los ratones, pero que tenían un aspecto y una manera de actuar muy parecidos a los de los humanos actuales. Sus nombres eran Kif y Kof.

Debido a su pequeño tamaño, resultaba difícil ver qué estaban haciendo, pero si mirabas de cerca descubrías cosas asombrosas.

Tanto los ratones como las personitas se pasaban el día en el laberinto buscando su queso favorito.

Oli y Corri, los ratones, aunque sólo poseían cerebro de roedores, tenían muy buen instinto y buscaban el queso seco y curado que tanto gusta a esos animalitos.

Kif y Kof, las personitas, utilizaban un cerebro repleto de creencias para buscar un tipo muy distinto de Queso —con mayúscula—, que ellos creían que los haría ser felices y triunfar.

Por distintos que fueran los ratones y las personitas, tenían algo en común: todas las mañanas se ponían su chándal y sus zapatillas deportivas, salían de su casita y se precipitaban corriendo hacia el laberinto en busca de su queso favorito.

El laberinto era un dédalo de pasillos y salas, y algunas de ellas contenían delicioso queso. Pero también había rincones oscuros y callejones sin salida que no llevaban a ningún sitio. Era un lugar en el que resultaba muy fácil perderse.

Sin embargo, para los que daban con el camino, el laberinto albergaba secretos que les permitían disfrutar de una vida mejor.

Para buscar queso, Oli y Corri, los ratones, utilizaban el sencillo pero ineficaz método del tanteo. Recorrían un pasillo, y si estaba vacío, daban media vuelta y recorrían el siguiente.

Oli olfateaba el aire con su gran hocico a fin de averiguar en qué dirección había que ir para encontrar queso, y Corri se abalanzaba hacia allí. Como imaginaréis, se perdían, daban muchas vueltas inútiles y a menudo chocaban contra las paredes.

Sin embargo, Kif y Kof, las dos personitas,

utilizaban un método distinto que se basaba en su capacidad de pensar y aprender de las experiencias pasadas, aunque a veces sus creencias y emociones los confundían.

Con el tiempo, siguiendo cada uno su propio método, todos encontraron lo que habían estado buscando: un día, al final de uno de los pasillos, en la Central Quesera Q, dieron con el tipo de queso que querían.

A partir de entonces, los ratones y las personitas se ponían todas las mañanas sus prendas deportivas y se dirigían a la Central Quesera Q. Al poco, aquello se había convertido en una costumbre para todos.

Oli y Corri se despertaban temprano todas las mañanas, como siempre, y corrían por el laberinto siguiendo la misma ruta.

Cuando llegaban a su destino, los ratones se quitaban las zapatillas y se las colgaban del cuello para tenerlas a mano en el momento en que volvieran a necesitarlas. Luego, se dedicaban a disfrutar del queso.

Al principio, Kif y Kof también iban corriendo todos los días hasta la Central Quesera Q para paladear los nuevos y sabrosos bocados que los aguardaban.

Pero, al cabo de un tiempo, las personitas fueron cambiando de costumbres.

Kif y Kof se despertaban cada día más tarde,

se vestían más despacio e iban caminando hacia la Central Quesera Q. Al fin y al cabo, sabían dónde estaba el queso y cómo llegar hasta él.

No tenían ni idea de la procedencia del queso ni sabían quién lo ponía allí. Simplemente suponían que estaría en su lugar.

Todas las mañanas, cuando llegaban a la Central Quesera Q, Kif y Kof se ponían cómodos, como si estuvieran en casa. Colgaban sus chándals, guardaban las zapatillas y se ponían las pantuflas. Como ya habían encontrado el queso, cada vez se sentían más a gusto.

—Esto es una maravilla —dijo Kif—. Aquí tenemos queso suficiente para toda la vida.

Las personitas se sentían felices y contentas, pensando que estaban a salvo para siempre.

No tardaron mucho en considerar *suyo* el queso que habían encontrado en la Central Quesera Q. Y había tal cantidad almacenada allí que, poco después, trasladaron su casa cerca de la central y construyeron una vida social alrededor de ella.

Para sentirse más a gusto, Kif y Kof decoraron las paredes con frases e incluso pintaron trozos de queso que los hacían sonreír. Una de las frases decía:

Tener queso
hace feliz.

En ocasiones, Kif y Kof llevaban a sus amigos a ver los trozos de queso que se apilaban en la Central Quesera Q. Unas veces los compartían con ellos y otras, no.

—Nos merecemos este queso —dijo Kif—. Realmente tuvimos que trabajar muy duro y durante mucho tiempo para conseguirlo. —Tras estas palabras, cogió un trozo y se lo comió.

Después, Kif se quedó dormido, como solía ocurrirle.

Todas las noches, las personitas volvían a casa cargadas de queso, y todas las mañanas regresaban, confiadas, a por más a la Central Quesera Q.

Todo siguió igual durante algún tiempo.

Pero al cabo de unos meses, la confianza de Kif y Kof se convirtió en arrogancia. Se sentían tan a gusto que ni siquiera advertían lo que estaba ocurriendo.

El tiempo pasaba, y Oli y Corri seguían haciendo lo mismo todos los días. Por la mañana, llegaban temprano a la Central Quesera Q y husmeaban, escarbaban e inspeccionaban la zona para ver si había habido cambios con respecto al día anterior. Luego se sentaban y se ponían a mordisquear queso.

Una mañana, llegaron a la Central Quesera Q y descubrieron que no había queso.

No les sorprendió. Como habían notado

que las reservas de queso habían ido disminuyendo poco a poco, Oli y Corri estaban preparados para lo inevitable e, instintivamente, enseguida supieron lo que tenían que hacer.

Se miraron el uno al otro, cogieron las zapatillas deportivas que llevaban atadas al cuello, se las calzaron y se las anudaron.

Los ratones no se perdían en análisis profundos de las cosas. Y tampoco tenían que cargar con complicados sistemas de creencias.

Para los ratones, tanto el problema como la solución eran simples. La situación en la Central Quesera Q había cambiado. Por lo tanto, Oli y Corri decidieron cambiar.

Ambos asomaron la cabeza por el laberinto. Entonces, Oli alzó el hocico, husmeó y asintió con la cabeza, tras lo cual, Corri se lanzó a correr por el laberinto y Oli lo siguió lo más deprisa que pudo.

Ya se habían puesto en marcha en busca de queso nuevo.

Ese mismo día, más tarde, Kif y Kof hicieron su aparición en la Central Quesera Q. No habían prestado atención a los pequeños cambios que habían ido produciéndose y, por lo tanto, daban por sentado que su queso seguiría allí.

La nueva situación los pilló totalmente desprevenidos.

—¿Qué? ¿No hay queso? —gritó Kif—. ¿No

hay queso? —repitió muy enojado, como si gritando fuese a conseguir que alguien se lo devolviera—. ¿Quién se ha llevado mi queso? —bramó, indignado. Finalmente, con los brazos en jarras y el rostro enrojecido de ira, vociferó—: ¡Esto no es justo!

Kof sacudió negativamente la cabeza con gesto de incredulidad. Él también había dado por supuesto que en la Central Quesera Q habría queso, y se quedó paralizado por la sorpresa. No estaba preparado para aquello.

Kif gritaba algo, pero Kof no quería escucharlo. No tenía ganas de enfrentarse a lo que tenía delante, así que desconectó de la realidad.

La conducta de las personitas no era agradable ni productiva, pero sí comprensible.

Encontrar queso no había sido fácil, y para las personitas eso significaba mucho más que tener todos los días la cantidad necesaria del mismo.

Para las personitas, encontrar queso era dar con la manera de obtener lo que creían que necesitaban para ser felices. Cada una tenía, según fueran sus gustos, su propia idea de lo que significaba el queso.

Para algunas, encontrar queso era poseer cosas materiales. Para otras, disfrutar de buena salud o alcanzar la paz interior.

Para Kof, el queso significaba simplemente

sentirse a salvo, tener algún día una estupenda familia y una confortable casa en la calle Cheddar.

Para Kif, significaba convertirse en un Gran Queso con otros a su cargo y tener una hermosa mansión en lo alto de las colinas Camembert.

Como el queso era muy importante para ellas, las dos personitas se pasaron mucho tiempo decidiendo qué hacer. Al principio, lo único que se les ocurrió fue inspeccionar a fondo la Central Quesera Q para comprobar si realmente el queso había desaparecido.

Mientras que Oli y Corri ya se habían puesto en marcha, Kif y Kof continuaban vacilando y titubeando.

Despotricaron y se quejaron de lo injusto que era todo lo ocurrido, y Kof empezó a deprimirse. ¿Qué sucedería si al día siguiente tampoco encontraban el queso? Había hecho muchos planes para el futuro basados en aquel queso...

Las personitas no daban crédito a lo que veían. ¿Cómo podía haber ocurrido aquello? Nadie las había avisado. No estaba bien. Se suponía que esas cosas no tenían que pasar.

Aquella noche, Kif y Kof volvieron a casa hambrientos y desanimados; pero, antes de marcharse de la Central Quesera Q, Kof escribió en la pared:

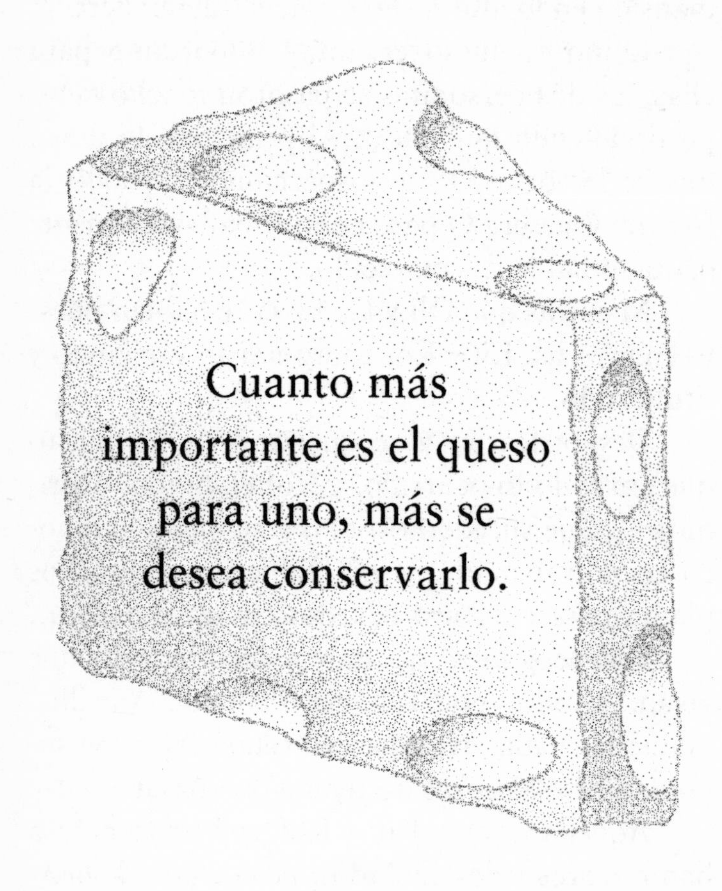
Cuanto más
importante es el queso
para uno, más se
desea conservarlo.

Al día siguiente, Kif y Kof salieron de sus respectivas casas y volvieron a la Central Quesera Q, donde esperaban encontrar, de una manera o de otra, *su* queso.

Pero la situación no había cambiado: el queso seguía sin estar allí. Las personitas no sabían qué hacer. Kif y Kof se quedaron paralizados, inmóviles como estatuas.

Kof cerró los ojos lo más fuerte que pudo y se tapó los oídos con las manos. Quería desconectar de todo. Se negaba a reconocer que las reservas de queso habían ido disminuyendo de manera gradual. Estaba convencido de que habían desaparecido de repente.

Kif analizó la situación una y otra vez, y, al final, su complicado cerebro dotado de un enorme sistema de creencias empezó a funcionar.

—¿Por qué me han hecho esto? —se preguntó—. ¿Qué está pasando aquí?

Kof abrió los ojos, miró a su alrededor e inquirió:

—Por cierto, ¿dónde están Oli y Corri? ¿Crees que saben algo que nosotros no sabemos?

—¿Qué quieres que sepan? —espetó Kif en tono de desprecio—. No son más que ratones. Reaccionan ante lo que ocurre. Nosotros somos personitas, somos especiales. Tendríamos que ser capaces de dar con la solución. Además, merecemos mejor suerte que ellos. Esto no debería ocurrirnos, y si nos ocurre, al menos tendríamos que recibir una compensación.

—¿Por qué tendríamos que recibir una compensación? —quiso saber Kof.

—Porque tenemos derecho.

—¿Derecho a qué? —preguntó Kof.

—Tenemos derecho a nuestro queso.

—¿Por qué? —insistió Kof.

—Porque este problema no lo hemos causado nosotros —respondió Kif—. Alguien ha provocado esta situación y nosotros tenemos que sacar algún provecho de ella.

—Tal vez sería mejor no analizar tanto la situación. Lo que deberíamos hacer es ponernos en marcha de inmediato y buscar queso nuevo —sugirió Kof.

—Oh, no —repuso Kif—. Voy a llegar al fondo de todo esto.

Mientras Kif y Kof seguían discutiendo lo que debían hacer, Oli y Corri ya se habían puesto en marcha y habían recorrido muchos pasillos, buscando queso en todas las centrales queseras que encontraban en su camino.

No pensaban en otra cosa que no fuera encontrar queso nuevo.

Pasaron mucho tiempo sin encontrar nada hasta que, al final, llegaron a una zona del laberinto en la que nunca habían estado: la Central Quesera N.

Al entrar profirieron un grito de alegría. Habían encontrado lo que estaban buscando: una gran reserva de queso.

No podían dar crédito a sus ojos. Era la cantidad más grande de queso que los ratones habían visto en toda su vida.

Mientras, Kif y Kof seguían en la Central Quesera Q evaluando la situación. Empezaban a sufrir los efectos de la falta de queso. Cada vez estaban más frustrados y enfadados, y se culpaban el uno al otro de la situación en la que se hallaban.

De vez en cuando, Kof se acordaba de sus amigos los ratones, y se preguntaba si Oli y Corri ya habrían encontrado queso. Pensaba que debían de estar pasando momentos muy duros, porque correr por el laberinto siempre conllevaba incertidumbre, pero también sabía que no estarían en apuros mucho tiempo.

A veces, Kof imaginaba que Oli y Corri habían encontrado queso nuevo y los veía disfrutando de él. Pensaba en lo bien que le sentaría andar a la aventura por el laberinto y encontrar un nuevo queso. Casi podía saborearlo.

Cuanto más clara era la imagen que Kof tenía de sí mismo encontrando y probando el nuevo queso, más ganas le entraban de marcharse de la Central Quesera Q.

—¡Vámonos! —exclamó de repente.

—No —replicó Kif rápidamente—. Estoy bien aquí, es un lugar cómodo y conocido. Además, salir ahí fuera es peligroso.

—No, no lo es —repuso Kof—. Hemos recorrido ya muchas zonas del laberinto, y podemos hacerlo otra vez.

—Soy demasiado viejo para eso —dijo Kif—. Y no tengo ningún interés en perderme ni en engañarme a mí mismo. ¿Tú sí?

Estas palabras hicieron que Kof volviera a sentir miedo al fracaso, y sus esperanzas de encontrar queso nuevo se desvanecieron.

Así que las personitas siguieron haciendo todos los días lo mismo que habían hecho hasta entonces: ir a la Central Quesera Q, no encontrar queso y volver a casa, llevando consigo sus desasosiegos y frustraciones.

Intentaron negar lo que estaba ocurriendo, pero cada vez les costaba más conciliar el sueño, y por la mañana tenían menos energía y estaban más irritables.

Sus casas no eran los sitios acogedores que habían sido. Las personitas sufrían de insomnio, y cuando conseguían dormir tenían pesadillas en las que no encontraban el queso.

Pero Kif y Kof seguían volviendo todos los días a la Central Quesera Q y, una vez allí, se limitaban a esperar.

—Si nos esforzáramos un poco —dijo Kif—,

tal vez descubriríamos que en realidad las cosas no han cambiado tanto. Es probable que el queso esté cerca. Quizás está escondido detrás de la pared.

Al día siguiente, Kif y Kof volvieron con herramientas. Kif sujetó el cincel y Kof golpeó con el martillo hasta que hicieron un agujero en la pared de la Central Quesera Q. Miraron a través de él, pero no encontraron el queso.

Se sintieron decepcionados, pero creían que podían solucionar el problema. Por eso empezaban a trabajar más temprano, lo hacían con más ahínco y acababan más tarde, pero lo único que consiguieron fue tener un enorme agujero en la pared.

Kof empezó a comprender la diferencia entre actividad y productividad.

—Tal vez —dijo Kif—, lo único que deberíamos hacer es quedarnos sentados y ver qué pasa. Tarde o temprano, tendrán que volver a poner el queso.

Kof quería creer que Kif tenía razón, así que todas las noches se iba a casa a descansar y a la mañana siguiente volvía con su amigo, de mala gana, a la Central Quesera Q. Pero el queso seguía sin aparecer.

Las personitas estaban cada vez más débiles debido al hambre y al estrés. Kof empezaba a cansarse de esperar que la situación mejorase.

Comenzaba a comprender que cuanto más tiempo estuvieran sin queso, peor se encontrarían.

Kof sabía que estaban perdiendo la agudeza.

Finalmente, un día Kof empezó a reírse de sí mismo.

«Mírate, Kof, mírate —se decía—. Cada día hago las mismas cosas, una y otra vez, y me pregunto por qué la situación no mejora. Si esto no fuera tan ridículo, sería incluso divertido.»

A Kof no le gustaba la idea de tener que correr de nuevo por el laberinto, porque sabía que se perdería y no tenía ninguna certeza de que fuera a encontrar más queso, pero, al ver lo estúpido que se estaba volviendo por culpa del miedo, tuvo que reírse de sí mismo.

—¿Dónde has puesto nuestros chándals y las zapatillas deportivas? —le preguntó a Kif.

Tardaron mucho tiempo en dar con ellos porque, cuando tiempo atrás habían encontrado queso en la Central Quesera Q, los habían guardado al fondo del todo pensando que ya no los necesitarían nunca más.

Cuando Kif vio a su amigo poniéndose el chándal, le preguntó:

—No irás a salir al laberinto otra vez, ¿verdad? ¿Por qué no te quedas aquí conmigo, esperando que devuelvan el queso?

—Mira, Kif, no entiendes lo que pasa. Yo tampoco quería verlo, pero ahora me doy cuenta de que ya no nos devolverán aquel queso. Ese queso pertenece al pasado y ha llegado la hora de encontrar uno nuevo.

—Pero ¿y si no hay más? —repuso Kif—. Y aun en caso de que haya, ¿y si no lo encuentras?

—No lo sé —respondió Kof.

Se había formulado miles de veces esas dos preguntas y empezó a sentir de nuevo el miedo que lo paralizaba.

Luego empezó a pensar en encontrar un queso nuevo y en todas las cosas buenas que eso significaría.

Entonces hizo acopio de fuerzas y dijo:

—A veces, las cosas cambian y nunca vuelven a ser como antes. Creo que estamos en una situación de este tipo, Kif. ¡Así es la vida! La vida se mueve y nosotros también debemos hacerlo.

Kof miró a su demacrado compañero e intentó hacerlo entrar en razón, pero el miedo de Kif se había convertido en ira y no quiso escucharle.

Kof no quería ser brusco con su amigo, pero no pudo evitar reírse de lo estúpidamente que ambos se estaban comportando.

Mientras Kof se preparaba para salir, empezó a sentirse más vivo al tomar conciencia de que por fin era capaz de reírse de sí mismo, vencer el miedo y seguir adelante.

—¡Ha llegado el momento de volver al laberinto! —anunció.

Kif no se rió ni reaccionó.

Kof cogió una pequeña piedra afilada y escribió un pensamiento serio en la pared para que su amigo reflexionase sobre él. Tal como tenía por costumbre, Kof incluso dibujó un trozo de queso alrededor de las palabras con la esperanza de hacer sonreír a Kif y de animarlo a buscar un nuevo queso, pero su amigo no quiso mirar.

En la pared se leía:

Si no cambias,
te extingues.

A continuación, Kof asomó la cabeza y observó el laberinto con ansiedad. Pensó en cómo había llegado a aquella situación de carencia de queso.

Había creído que posiblemente no hubiera queso en el laberinto o que no iba a ser capaz de encontrarlo. Aquellos pensamientos llenos de miedo lo estaban paralizando y acabarían por matarlo.

Kof sonrió. Sabía que Kif se estaba preguntando: «¿Quién se ha llevado mi queso?», pero lo que él se preguntaba era: «¿Por qué no me puse en marcha antes, por qué no me moví cuando lo hizo el queso?».

Al adentrarse en el laberinto, Kof miró hacia atrás, consciente de la comodidad del espacio que dejaba, y se sintió atraído hacia aquel territorio conocido pese a que llevaba mucho tiempo allí sin encontrar queso.

Kof se sentía cada vez más angustiado, y se preguntó si realmente quería volver al laberinto. Escribió una frase en la pared que tenía delante y se quedó un rato mirándola.

¿Qué harías si no
tuvieses miedo?

Pensó en ello.

Sabía que, a veces, un poco de miedo es bueno. Cuando tienes miedo de que las cosas empeoren si no haces algo, el miedo puede incitarte a la acción. Pero, cuando te impide hacer algo, el miedo no es bueno.

Miró hacia la derecha. Era una zona del laberinto en la que nunca había estado y sintió miedo.

Entonces, respiró hondo y se adentró en el laberinto, avanzando con paso veloz hacia lo desconocido.

Mientras intentaba encontrar el buen camino, lo primero que pensó fue que tal vez se habían quedado esperando demasiado tiempo en la Central Quesera Q. Hacía tanto tiempo que no comía queso que se encontraba débil. Recorrer el laberinto le exigió más tiempo y esfuerzo de lo acostumbrado. Decidió que si alguna vez volvía a pasarle algo parecido, se adaptaría al cambio más deprisa. Eso facilitaría las cosas.

«Más vale tarde que nunca», se dijo con una exangüe sonrisa.

Durante los días sucesivos, Kof encontró un poco de queso aquí y allá, pero no eran cantidades que durasen mucho tiempo. Esperaba encontrar una buena ración para llevársela a Kif y animarlo a que volviera al laberinto.

Pero Kof todavía no había recuperado la suficiente confianza en sí mismo. Tuvo que admitir que se desorientaba en el laberinto. Las cosas parecían haber cambiado desde la última vez que había estado allí.

Justo cuando pensaba que había encontrado la dirección correcta, se perdía en los pasillos. Era como si diera dos pasos adelante y uno atrás. Era todo un reto, pero tuvo que admitir que volver a recorrer el laberinto en busca de queso no era tan terrible como había temido.

Con el paso del tiempo, empezó a preguntarse si la esperanza de encontrar queso nuevo era realista. ¿No sería un sueño? De inmediato se echó a reír, al darse cuenta de que llevaba tanto tiempo sin dormir que era imposible que soñase.

Cada vez que empezaba a desalentarse, se recordaba a sí mismo que lo que estaba haciendo, por incómodo que le resultase en aquel momento, era mucho mejor que quedarse de brazos cruzados sin queso. Estaba tomando las riendas de su vida en vez de dejar simplemente que las cosas ocurrieran.

Luego se recordó que si Oli y Corri eran capaces de aventurarse, él también lo era.

Más tarde, Kof reconstruyó los hechos y llegó a la conclusión de que el queso de la Central Quesera Q no había desaparecido de la noche a la mañana, como había creído al principio. En los últimos tiempos, había cada vez menos queso y además, el que quedaba, ya no sabía tan bien.

Tal vez el queso había empezado a enmohecerse y él no lo había notado. Tuvo que admitir, sin embargo, que si hubiera querido se habría percatado de lo que estaba ocurriendo. Pero no lo había hecho.

En aquel momento comprendió que el cambio no lo habría pillado por sorpresa si se hubiera fijado en que este se iba produciendo gradualmente y lo hubiese previsto. Quizás era eso lo que Oli y Corri habían hecho.

Se detuvo a descansar, y escribió en la pared del laberinto:

Huele el queso
a menudo para saber
cuándo empieza
a enmohecerse.

Cuando llevaba sin encontrar queso durante un tiempo que le pareció muy largo, Kof llegó a una inmensa Central Quesera que tenía un aspecto prometedor. Pero cuando entró sufrió una gran decepción al ver que estaba totalmente vacía.

«Ya he tenido esta sensación de vacío con demasiada frecuencia», pensó, con ganas de abandonar la búsqueda.

A Kof empezaban a flaquearle las fuerzas. Sabía que estaba perdido y temía no sobrevivir. Pensó en dar marcha atrás y regresar a la Central Quesera Q. Al menos, si lo conseguía y Kif estaba aún allí, no se sentiría tan solo. Entonces volvió a formularse la misma pregunta de antes: «¿Qué haría si no tuviera miedo?».

Tenía miedo más a menudo de lo que estaba dispuesto a admitir. No siempre estaba seguro de qué era lo que le daba miedo, pero en aquel estado de debilidad supo que tenía miedo de seguir avanzando solo. Kof no se percataba, pero se estaba quedando atrás por culpa de sus miedos.

Se preguntó si Kif se habría movido o seguiría paralizado por sus miedos. Entonces, Kof recordó las ocasiones en que se había sentido más a gusto en el laberinto. Siempre habían sido estando en movimiento. Escribió una frase en la pared, sabiendo que era tanto un recordatorio para sí mismo como una señal por si su compañero Kif se decidía a seguirlo:

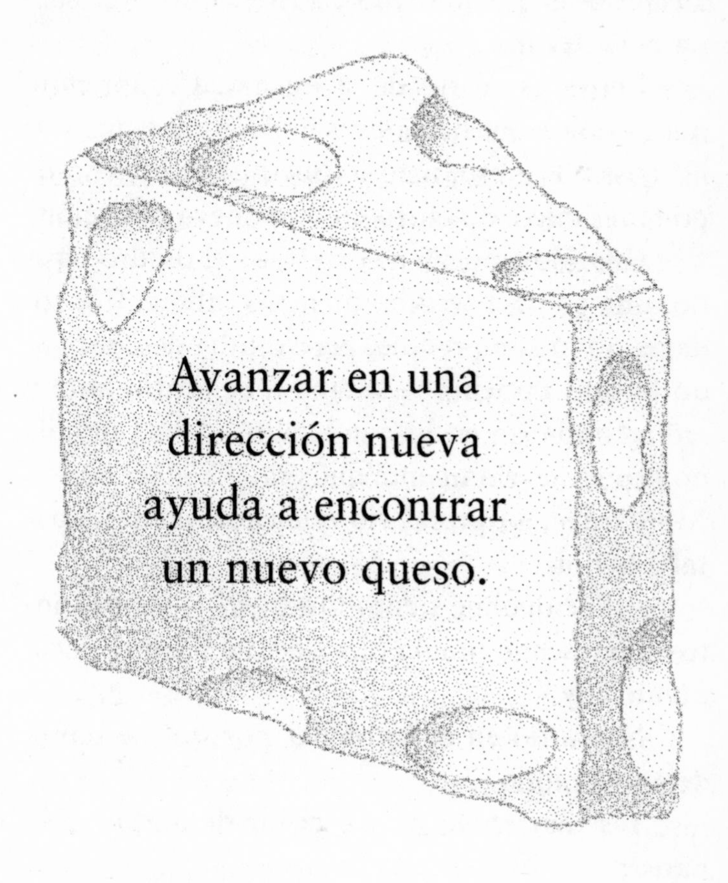
Avanzar en una
dirección nueva
ayuda a encontrar
un nuevo queso.

Kof miró el oscuro corredor y fue consciente de su miedo. ¿Qué le esperaba ahí dentro? ¿Estaba vacío? O peor aún: ¿había peligros escondidos? Empezó a imaginar todo tipo de cosas aterradoras que podían ocurrirle. Cada vez sentía más pavor.

Entonces se rió de sí mismo. Comprendió que lo único que hacían sus miedos era empeorar las cosas. Por eso, hizo lo que hubiera hecho de no tener miedo: avanzó en una nueva dirección.

Cuando empezó a correr por el oscuro pasillo, una sonrisa se dibujó en sus labios. Kof todavía no lo comprendía, pero estaba descubriendo lo que alimentaba su alma. Se sentía libre y tenía confianza en lo que le aguardaba, aunque no supiera exactamente qué era.

Para su sorpresa, vio que cada vez se lo pasaba mejor.

«¿Por qué me siento tan bien? —se preguntó—. No tengo ni una pizca de queso ni sé hacia dónde voy.»

No tardó en comprender por qué se sentía de aquel modo.

Y se entretuvo para escribir de nuevo en la pared:

Cuando dejas atrás
el miedo,
te sientes libre.

Kof comprendió que había sido prisionero de su propio miedo. Avanzar en una dirección nueva lo había liberado.

En ese momento notó la brisa que corría por aquella parte del laberinto y le pareció refrescante. Respiró hondo unas cuantas veces y se sintió revitalizado. Después de haber dejado atrás el miedo, todo resultó mucho más agradable de lo que él había pensado que sería.

Hacía mucho tiempo que no se sentía de aquella manera. Casi había olvidado lo divertido que era.

Para que todo fuera aún mejor, Kof empezó a hacer un dibujo en su mente. Se veía con todo detalle y gran realismo, sentado en medio de un montón de sus quesos favoritos, desde el cheddar hasta el brie. Se vio comiendo de todos los quesos que le gustaban y disfrutó con lo que vio. Luego imaginó lo felicísimo que lo harían todos aquellos sabores.

Cuanto más clara veía la imagen del nuevo queso, más real se volvía y más presentía que iba a encontrarlo.

Kof escribió de nuevo en la pared:

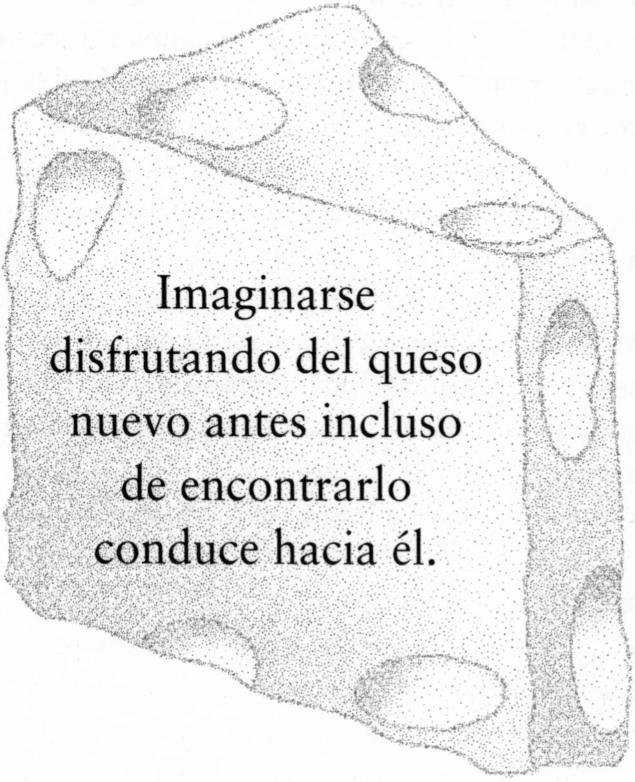

Imaginarse
disfrutando del queso
nuevo antes incluso
de encontrarlo
conduce hacia él.

«¿Por qué no lo había hecho antes?», se preguntó.

Entonces, echó a correr por el laberinto con más energía y agilidad. Al poco localizó otra Central Quesera en cuya puerta vio, con gran excitación, unos pedacitos de un nuevo queso.

Vio tipos de queso que no conocía pero que tenían un aspecto fantástico. Los probó y le parecieron deliciosos. Comió de casi todos y se guardó unos trozos en el bolsillo para más tarde y quizá para compartirlos con su amigo Kif. Empezó a recuperar las fuerzas.

Entró en la Central Quesera muy excitado, pero, para su consternación, descubrió que estaba vacía. Allí ya había estado alguien y sólo había dejado unos pedazos pequeños del nuevo queso.

Comprendió que si se hubiera movido antes, con toda probabilidad, habría encontrado allí más cantidad de queso.

Kof decidió volver atrás y averiguar si Kif estaba dispuesto a acompañarlo.

Mientras desandaba el camino, se detuvo y escribió en la pared:

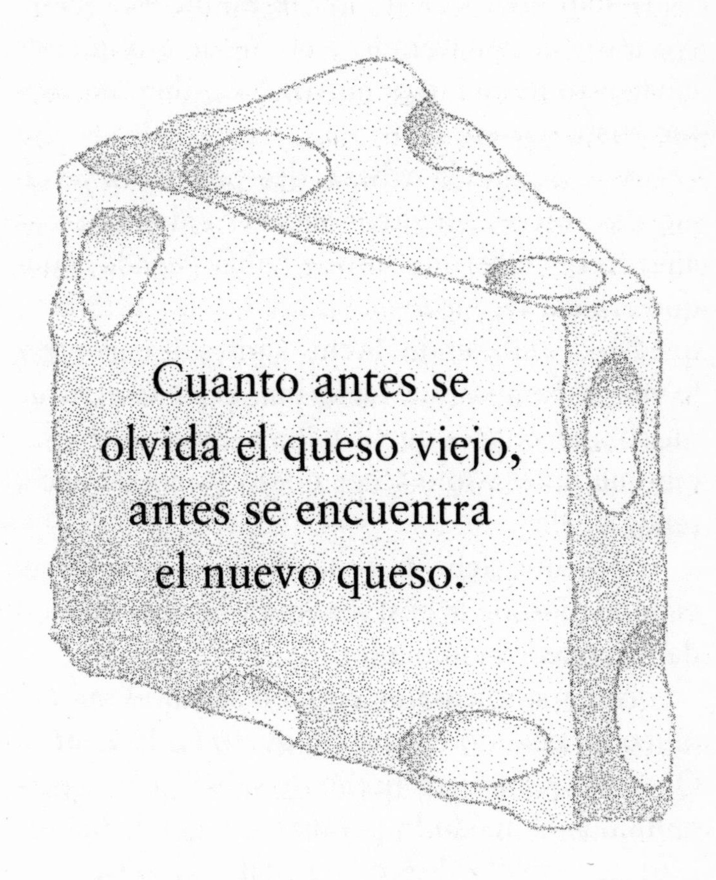
Cuanto antes se
olvida el queso viejo,
antes se encuentra
el nuevo queso.

Al cabo de un rato, Kof llegó a la Central Quesera Q y encontró allí a Kif. Le ofreció unos pedazos de queso, pero su amigo los rechazó.

Kif le agradeció el gesto, pero dijo:

—No creo que me guste ese nuevo queso. No estoy acostumbrado a él. Yo quiero que me devuelvan mi queso, y no voy a cambiar de actitud hasta que eso ocurra.

Kof sacudió la cabeza, decepcionado, y volvió a salir solo. Mientras regresaba al punto más alejado del laberinto al que había llegado, aunque echaba de menos a su amigo, le gustaba lo que iba descubriendo. Incluso antes de encontrar lo que esperaba que fuese una gran reserva de queso nuevo, si es que llegaba a encontrarla, sabía que no era sólo tener queso lo que le hacía sentirse feliz.

Se sentía feliz porque no lo dominaba el miedo y porque le gustaba lo que estaba haciendo en aquellos momentos.

Al darse cuenta de ello, no se sintió tan débil como cuando estaba sin queso en la Central Quesera Q. El mero hecho de saber que no permitía que el miedo lo paralizase y que había tomado una nueva dirección le daba fuerzas.

En esos instantes supo que encontrar lo que necesitaba era sólo cuestión de tiempo. De hecho, ya había encontrado lo que buscaba.

Sonrió y escribió en la pared:

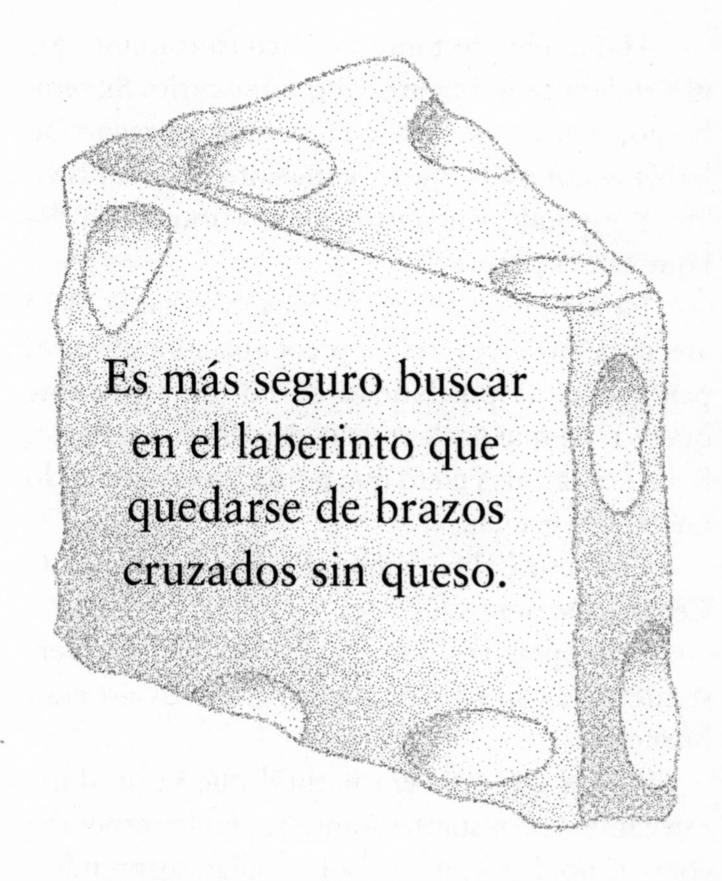
Es más seguro buscar
en el laberinto que
quedarse de brazos
cruzados sin queso.

Kof advirtió de nuevo, como ya había hecho antes, que lo que nos da miedo nunca es tan malo como imaginamos. El miedo que dejamos crecer en nuestra mente es peor que la situación real.

Había temido tanto no encontrar queso que ni siquiera se había atrevido a buscarlo. Sin embargo, desde que había empezado el recorrido había encontrado queso suficiente para sobrevivir. Y esperaba encontrar más. Mirar hacia delante era excitante.

Su antigua manera de pensar se había visto afectada por temores y preocupaciones. Antes pensaba en la posibilidad de no tener bastante queso o de que no le durase el tiempo necesario. Solía pensar más en lo que podía ir mal que en lo que podía ir bien.

Pero eso había cambiado desde que dejó la Central Quesera Q.

Antes pensaba que el queso no debía moverse nunca de su sitio y que los cambios no eran buenos.

Ahora veía que era natural que se produjeran cambios constantes, tanto si uno los esperaba como si no. Los cambios sólo podían sorprenderte si no los esperabas ni contabas con ellos.

Cuando advirtió que su sistema de creencias había cambiado, hizo una pausa para escribir en la pared:

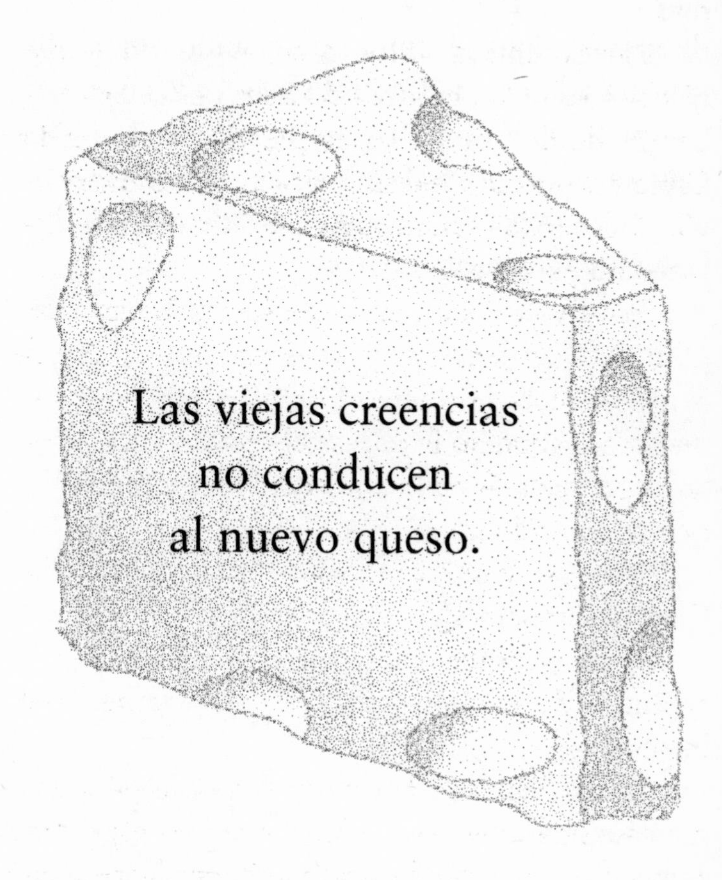
Las viejas creencias
no conducen
al nuevo queso.

Kof todavía no había encontrado nada de queso, pero mientras corría por el laberinto pensó en lo que había aprendido hasta entonces.

Advirtió que las nuevas creencias estimulaban conductas nuevas. Se estaba comportando de manera muy distinta que cuando volvía día tras día a la misma Central Quesera vacía.

Supo que, al cambiar de creencias, había cambiado de forma de actuar.

Todo dependía de lo que decidiera creer. Escribió de nuevo en la pared:

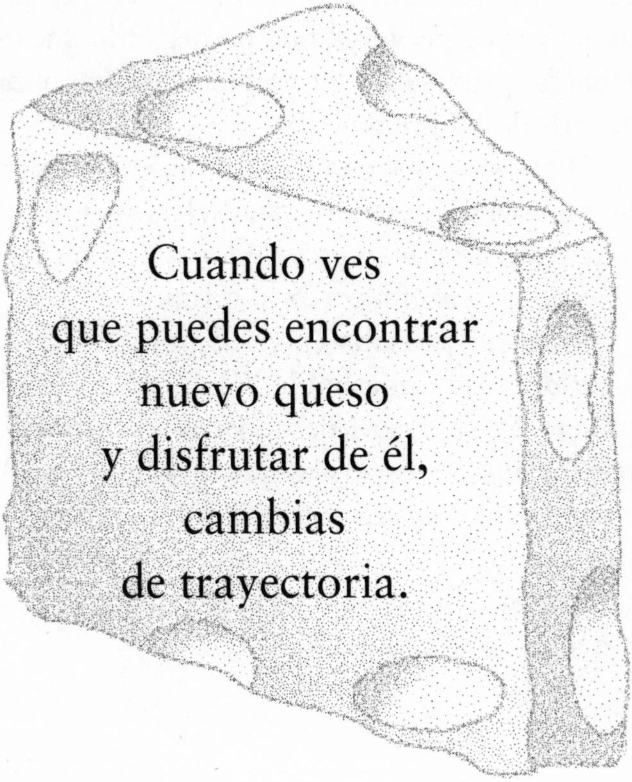

Cuando ves
que puedes encontrar
nuevo queso
y disfrutar de él,
cambias
de trayectoria.

Kof supo que, si hubiera aceptado antes el cambio y hubiese salido enseguida de la Central Quesera Q, ahora se encontraría mucho mejor. Se sentiría más fuerte física y mentalmente y habría afrontado mejor el reto de buscar un nuevo queso. En realidad, si hubiera previsto el cambio, en vez de perder el tiempo negando que este se había producido, probablemente ya habría encontrado lo que buscaba.

Hizo acopio de fuerzas y decidió explorar las zonas más desconocidas del laberinto. Encontró pedazos de queso aquí y allá, y recuperó el ánimo y la confianza en sí mismo.

Mientras pensaba en el camino que llevaba recorrido desde que había salido de la Central Quesera Q, se alegró de haber escrito frases en diversos puntos. Esperaba que esas frases le indicaran el camino a Kif si este decidía salir en busca de queso.

Se detuvo y escribió en la pared lo que llevaba tiempo pensando:

Notar enseguida
los pequeños cambios
ayuda a adaptarse
a los cambios más
grandes que están
por llegar.

En esos momentos, Kof ya se había liberado del pasado y se estaba adaptando al futuro.

Avanzó por el laberinto con más energía y a mayor velocidad. Y al poco, lo que estaba esperando ocurrió.

Cuando ya le parecía que llevaba toda la vida en el laberinto, su viaje (o al menos aquella parte del viaje) terminó rápida y felizmente.

¡Encontró un nuevo queso en la Central Quesera N!

Al entrar, se quedó pasmado por lo que vio. Había las montañas más grandes de queso que hubiera visto jamás. No los reconoció todos, ya que algunos eran totalmente nuevos para él.

Por unos momentos se preguntó si aquello era real o sólo producto de su imaginación, pero entonces vio a Oli y Corri.

Oli le dio la bienvenida con un movimiento de la cabeza, y Corri lo saludó con la pata. Sus abultadas barriguitas indicaban que llevaban allí mucho tiempo.

Kof les devolvió el saludo y enseguida se puso a probar sus quesos favoritos. Se quitó las zapatillas y el chándal y lo dobló cuidadosamente, dejándolo a su lado por si lo necesitaba de nuevo. Cuando hubo comido hasta la saciedad, cogió un pedazo del nuevo queso y lo alzó hacia el cielo en señal de brindis.

—¡Por el cambio!

Mientras saboreaba el nuevo queso, Kof pensó en todo lo que había aprendido.

Se percató de que, mientras había tenido miedo del cambio, se había aferrado a la ilusión de un queso viejo que ya no existía.

¿Qué lo había hecho cambiar? ¿Había sido el miedo a morir de hambre?

«Bueno, eso también ha contribuido», se dijo Kof.

Entonces se echó a reír y se dio cuenta de que había empezado a cambiar cuando había aprendido a reírse de sí mismo y de lo mal que estaba actuando. Advirtió que la manera más rápida de cambiar es reírse de la propia estupidez. Después de hacerlo, uno ya es libre y puede seguir avanzando.

Supo que había aprendido algo muy útil de Oli y Corri, sus amigos los ratones, sobre el hecho de avanzar. Los ratones llevaban una vida simple. No analizaban en exceso ni complicaban demasiado las cosas. Cuando la situación cambió y el queso se movió de sitio, ellos hicieron lo mismo. Kof prometió no olvidar eso.

Entonces utilizó su maravilloso cerebro para hacer algo que las personitas pueden hacer mejor que los ratones. Reflexionó sobre los errores cometidos en el pasado y los utilizó para trazar un plan para su futuro. Supo que uno podía aprender a convivir con el cambio.

Uno podía ser más consciente de la necesidad de conservar las cosas sencillas, ser más flexible y moverse más deprisa.

No servía de nada complicar las cosas o confundirse a uno mismo con creencias que dan miedo.

Si uno advertía cuándo empezaban a producirse los cambios pequeños, estaría más preparado para el gran cambio que antes o después seguramente se produciría.

Kof se dio cuenta de que era necesario adaptarse deprisa, porque si uno no lo hacía, tal vez no podría adaptarse jamás.

Tuvo que admitir que el inhibidor más grande de los cambios está dentro de uno mismo y que las cosas no mejoran para uno mientras *uno* no cambia.

Pero lo más importante de todo era que, cuando te quedabas sin el queso viejo, en otro lugar siempre había un nuevo queso, aunque en el momento de la pérdida no lo vieras. Y que te veías recompensado con ese queso nuevo tan pronto como dejabas atrás los miedos y disfrutabas con la aventura de la búsqueda.

Supo que el miedo es algo que uno debe respetar, ya que te aparta del peligro verdadero, pero advirtió que casi todos sus miedos eran irracionales y que lo habían apartado del cambio, cuando lo que él realmente necesitaba era cambiar.

Cuando se produjo el cambio, no le había gustado, pero ahora comprendía que había sido una bendición, ya que lo había llevado a encontrar un queso mejor.

Incluso había encontrado una parte mejor de sí mismo.

Mientras Kof pasaba revista a lo que había aprendido, se acordó de su amigo Kif. Se preguntó si habría leído algunas de las frases que había escrito en las paredes de la Central Quesera Q y del laberinto.

¿Habría decidido liberarse del miedo y salir de la quesera? ¿Habría entrado en el laberinto y descubierto que su vida podía ser mejor?

Kof pensó en la posibilidad de volver a la Central Quesera Q y tratar de encontrar a Kif, suponiendo que diera con el camino de vuelta hacia allí. Si encontraba a su amigo, tal vez podría enseñarle la manera de salir del apuro. Pero después se dio cuenta de que ya había intentado que su amigo cambiara.

Kif tenía que encontrar su propio camino, prescindiendo de las comodidades y dejando los miedos atrás. Nadie podía hacerlo por él, ni convencerlo de que lo hiciera. De una manera u otra, tenía que ver por sí mismo las ventajas de cambiar.

Kof sabía que había dejado un buen rastro por el camino para que Kif lo siguiera. Lo único que este tenía que hacer era leer las frases que él había escrito en la pared.

Se dirigió hacia la pared más grande de la Central Quesera N y escribió un resumen de todo lo que había aprendido. A continuación dibujó un gran pedazo de queso alrededor de todos los pensamientos que se le habían hecho evidentes, y sonrió al contemplar el conjunto.

El cambio es un hecho
El queso se mueve constantemente

Prevé el cambio
Permanece alerta a los movimientos del queso

Controla el cambio
Huele el queso a menudo para saber si se está enmoheciendo

Adáptate rápidamente al cambio
Cuanto antes se olvida el queso viejo, antes se disfruta del nuevo

¡Cambia!
Muévete cuando se mueva el queso

¡Disfruta del cambio!
Saborea la aventura y disfruta del nuevo queso

Prepárate para cambiar rápidamente y disfrutar otra vez
El queso se mueve constantemente

Kof advirtió lo lejos que había llegado desde que saliera de la Central Quesera Q en la que había dejado a Kif, pero supo que le sería fácil cometer el mismo error si no estaba atento. Así pues, todos los días inspeccionaba la Central Quesera N para saber en qué estado se encontraba el queso. Iba a hacer todo lo posible para impedir que el cambio lo pillase desprevenido.

Aún quedaba mucho queso, pero Kof salía a menudo al laberinto y exploraba nuevas zonas para estar en contacto con lo que ocurría a su alrededor. Advertía que era más seguro estar al corriente de sus posibilidades reales que aislarse en su zona segura y confortable.

De pronto le pareció oír ruido de movimiento en el laberinto. El ruido era cada vez más fuerte, y advirtió que se acercaba alguien.

¿Sería Kif? ¿Estaría a punto de doblar la esquina?

Kof rezó una oración y esperó, como tantas veces había hecho, que su amigo finalmente hubiese sido capaz de...

¡Moverse con
el queso
y disfrutarlo!

El debate

El debate
Ese mismo día, más tarde

Cuando Michael terminó de contar el cuento, miró a su alrededor y vio que sus antiguos compañeros de clase sonreían.

Algunos le dieron las gracias y le dijeron que les había sido de gran utilidad.

—¿Y si nos encontráramos más tarde y lo comentáramos? —propuso Nathan.

A todos les pareció bien la idea, y quedaron para tomar algo juntos antes de cenar.

Esa noche, se reunieron en el bar de un hotel y empezaron a bromear con la idea de buscar su «queso» y verse metidos en el laberinto.

—Entonces, ¿qué personaje del cuento seríais? ¿Oli, Corri, Kif o Kof? —preguntó Angela a todo el grupo.

—Bueno, esta tarde he estado pensando en ello —respondió Carlos—. Y he recordado que, antes de tener la tienda de artículos deportivos, sufrí un duro encuentro con el cambio. No fui Oli, porque no me lo olí y no vi el cambio desde el principio. Y tampoco fui Corri, porque no emprendí una acción de inmediato.

»Creo que fui más como Kif: quería quedarme en el territorio conocido. La verdad es que no quería afrontar el cambio. Ni siquiera quería verlo.

Michael, que tenía la sensación de que apenas había pasado tiempo desde que Carlos y él fueran tan amigos en el instituto, le preguntó:

—¿A qué te refieres, Carlos?

—A un cambio inesperado de trabajo —respondió este.

—¿Te despidieron? —preguntó Michael soltando una carcajada.

—Bueno, digamos que no quería salir en busca de nuevo queso. Tenía buenas razones para creer que no se produciría ningún cambio. Por eso, cuando este se produjo me afectó muchísimo.

Algunos de sus compañeros de clase, que habían estado callados desde el principio, se sintieron más cómodos y empezaron a contar sus experiencias, entre ellos Frank, que se había hecho militar.

—Kif me recuerda a un amigo mío —comentó—. Su departamento iba a desaparecer, pero él se negaba a verlo. Todos los días despedían a personal de su sección. Todo el mundo le hablaba de las grandes oportunidades que había en la empresa para los que querían ser flexibles, pero él no creía que debiera cambiar. Fue el único al que le sorprendió la desaparición del departamento. Ahora le está costando mucho adaptarse a un cambio que, según él, no tenía que haberse producido.

—Yo también era de las que creían que eso no iba a pasarme a mí —dijo Jessica—, pero lo cierto es que mi «queso» se ha movido, y más de una vez.

Todos rieron excepto Nathan.

—Tal vez ese sea el meollo del asunto —dijo este último—. Todos estamos expuestos al cambio. Me gustaría que mi familia y yo hubiéramos escuchado antes este cuento. Por desgracia, no quisimos ver los cambios que se iban a producir en nuestro negocio, y ahora ya es demasiado tarde. Hemos tenido que cerrar varias tiendas.

Aquello sorprendió a sus amigos, ya que creían que Nathan tenía la suerte de ser el propietario de una empresa segura con la que siempre podría contar.

—¿Qué ocurrió? —quiso saber Jessica.

—De pronto, cuando montaron en la ciudad un hipermercado, con sus enormes existencias y sus bajos precios, nuestra cadena de pequeñas tiendas quedó obsoleta. No pudimos competir con esa gran superficie. Ahora veo que, en vez de reaccionar como Oli y Corri, reaccionamos como Kif. Nos quedamos donde estábamos y no cambiamos. Intentamos no hacer caso de lo que ocurría, y ahora tenemos problemas. Kof habría podido enseñarnos un par de lecciones.

Laura, que en la actualidad era una importante mujer de negocios, había escuchado con atención y decidió finalmente intervenir en la conversación.

—Esta tarde, yo también he estado pensando en el cuento que nos ha narrado Michael —dijo—. Me he preguntado qué tengo que hacer para parecerme más a Kof y ver cuáles son mis errores; reírme de mí misma; cambiar y hacer mejor las cosas. Me gustaría saber una cosa. ¿A cuántos de vosotros os da miedo el cambio?

Nadie respondió, por lo que Laura sugirió:

—Que levante la mano quien tenga miedo del cambio.

Sólo se alzó una.

—Bueno, parece que al menos hay una persona sincera en el grupo —prosiguió Laura—. Tal vez os guste más la pregunta siguiente: ¿cuántos de los que estáis aquí pensáis que los demás tienen miedo del cambio? —Todos levantaron la mano y luego se echaron a reír—. Bien, ¿y esto *qué* significa?

—Significa negación —respondió Nathan.

—A veces ni siquiera somos conscientes de que tenemos miedo —admitió Michael—. Yo no sabía que lo tenía. La primera vez que oí el cuento, lo que más me gustó fue la pregunta: «¿Qué harías si no tuvieses miedo?».

—Lo que yo he sacado en claro del cuento —intervino Jessica— es que los cambios se producen tanto si me dan miedo como si me gustan.

»Recuerdo que, hace unos años, cuando mi empresa vendía enciclopedias, una persona intentó convencernos de que teníamos que editar nuestra enciclopedia en CD y venderla mucho más barata. El coste sería menor, y mucha más gente podría permitirse comprarla, pero todos nos resistimos a ello.

—¿Por qué esa resistencia? —quiso saber Nathan.

—Porque creíamos que la columna vertebral del negocio era la red de vendedores, las personas que vendían puerta a puerta. Mantener esa red de vendedores dependía de las elevadas comisiones que estos cobraban por colocar en el mercado un producto caro. Llevábamos mucho tiempo funcionando así y pensábamos que podía durar siempre.

—Ese era vuestro «queso» —dijo Nathan.

—Sí, y queríamos aferrarnos a él.

—Pensándolo ahora, de forma retrospectiva, veo que no se trató sólo de que «nos movieran el queso», sino de que el «queso» tiene vida propia y, al final, se acaba. Y lo que ocurrió fue que nosotros no cambiamos, pero un competidor sí lo hizo y nuestras ventas cayeron en picado. Hemos pasado una época muy difícil. Ahora va a producirse otro gran cambio en la industria, y en la empresa nadie quiere afrontarlo. No me gusta. Es posible que pronto me quede sin trabajo.

—¡Pues tendrás que salir al laberinto! —dijo Carlos. Los demás rieron, Jessica incluida.

Carlos se volvió hacia ella y le dijo:

—Es importante ser capaz de reírse de uno mismo.

—Eso es lo que más me ha impactado del cuento. —terció Frank—. Yo me tomo demasiado en serio. Kof pudo cambiar a partir del momento en que fue capaz de reírse de sí mismo y de lo que estaba haciendo.

—¿Creéis que Kif llega a cambiar y sale a buscar queso nuevo? —preguntó Angela.

—Yo creo que sí —respondió Elaine.

—Pues yo creo que no —dijo Cory—. Hay personas que nunca cambian y pagan un precio muy alto por ello. En mi práctica médica veo a gente como Kif. Creen que tienen derecho a su «queso». Cuando el queso se mueve, se sienten víctimas y culpan a los demás. Se ponen enfermas con más frecuencia que las personas que superan los miedos y siguen avanzando.

—Me parece —dijo Nathan, en voz muy baja, como si hablara consigo mismo— que la cuestión es: «¿De qué debemos prescindir y qué debemos seguir buscando?».

Transcurrieron unos minutos sin que nadie dijera nada.

—Tengo que admitir —intervino finalmente Nathan— que había visto lo que estaba ocurriendo en otras partes del país, pero esperaba que a nosotros no nos afectaría. Supongo que es mucho mejor iniciar el cambio mientras uno todavía puede intentar reaccionar y adaptarse a él. Tal vez deberíamos mover cada uno nuestro propio queso.

—¿Qué quieres decir? —preguntó Frank.

—No puedo dejar de preguntarme dónde estaríamos hoy si hubiésemos vendido los terrenos de nuestras pequeñas tiendas y hubiéramos construido una gran superficie comercial para competir con las mejores del sector —repuso Nathan.

—Tal vez sea ese el significado de lo que Kof escribió en la pared —dijo Laura—. «Saborea la aventura y muévete cuando se mueva el queso.»

—Yo creo que algunas cosas no deberían cambiar —terció Frank—. Por ejemplo, yo quiero aferrarme a mis valores básicos. Sin embargo, ahora veo que habría sido mejor para mí si hubiese empezado mucho antes a moverme cuando lo hizo el «queso».

—Michael, la historia del queso es muy interesante —comentó Richard, el escéptico de la clase—, pero ¿cómo la aplicaste en el caso concreto de tu empresa?

El grupo todavía no lo sabía, pero Richard se estaba enfrentando a algunos cambios. Hacía poco que se había separado de su mujer, y en esos momentos intentaba equilibrar su carrera profesional con la crianza de sus hijos adolescentes.

—Veréis, yo pensaba que mi misión era ir resolviendo los problemas cotidianos a medida que surgían, cuando, en vez de eso, tendría que haber mirado hacia el futuro al tiempo que prestaba atención a la dirección que estábamos tomando —replicó Michael—. Y sí, claro que me dediqué a solucionar problemas, las veinticuatro horas del día. La situación no era en absoluto divertida. Vivía en un mundo de competencia inexorable y no podía salirme de él.

»Sin embargo, después de escuchar *¿Quién se ha llevado mi queso?* y ver cómo cambia Kof, advertí que mi misión era dibujar una imagen del «nuevo queso». Y conseguir que esa imagen fuera tan clara y realista que tanto yo como las personas con las que trabajaba pudiéramos disfrutar del cambio y triunfar juntos.

—Es muy interesante —comentó Angela—. Porque, para mí, el punto culminante de la historia es cuando Kof deja atrás sus miedos y se visualiza encontrando el «nuevo queso». Entonces, correr por el laberinto le da menos miedo y disfruta haciéndolo. Y finalmente, encuentra algo mejor.

Richard, que había permanecido con el entrecejo fruncido durante toda la conversación, comentó:

—Mi jefa no cesa de decirme que la empresa debe cambiar. Creo que lo que en realidad me está diciendo es que yo debo cambiar, pero yo me niego a hacerle caso. Creo que nunca he sabido cuál es el «nuevo queso» hacia el que quiere que me mueva. Ni tampoco en qué va a beneficiarme ese cambio.

»Tengo que admitir que me gusta la idea de visualizar un «nuevo queso» e imaginarse a uno mismo disfrutando de él —dijo Richard con una leve sonrisa—. Eso lo ilumina todo. Atenua los miedos y hace que te sientas más interesado en contribuir a que se produzca el cambio. Tal vez pueda utilizar esta historia en casa —añadió—. Al parecer, mis hijos creen que en su vida no debería cambiar nada. Están enfadados. Supongo que tienen miedo de lo que les depara el futuro. Tal vez no he hecho un dibujo realista para ellos del «nuevo queso». Probablemente porque ni yo mismo lo he visto todavía.

El grupo permaneció unos instantes en silencio y algunos de sus miembros pensaron en su vida familiar.

—Bueno —intervino Elaine—, aquí casi

todo el mundo ha hablado del trabajo, pero a mí la historia me ha hecho pensar en mi vida privada. Creo que mi relación actual es «queso viejo», y está realmente enmohecido.

—A mí me pasa lo mismo —dijo Cory riendo—. Supongo que tengo que liberarme de una relación negativa.

—O quizás el «queso viejo» sean simplemente las actitudes viejas —replicó Angela—. De lo que verdaderamente tenemos que liberarnos es de la conducta que sigue propiciando relaciones negativas. Y a partir de aquí, avanzar hacia una manera mejor de pensar y de actuar.

—¡Claro! —exclamó Cory—. ¡Tienes toda la razón! El nuevo queso es una relación nueva con la misma persona.

—Empiezo a pensar que esta historia tiene muchas más lecturas de las que en un principio creía —dijo Richard—. Me gusta la idea de liberarse de una conducta vieja en vez de hacerlo de la relación. Repetir la misma conducta dará siempre los mismos resultados.

»En vez de cambiar de trabajo, tal vez yo podría ser una de las personas que ayuden a la empresa a cambiar. Si lo hubiera hecho, a buen seguro que ahora tendría un empleo mucho mejor.

Entonces Becky, que vivía en otra ciudad pero había vuelto a la suya para la reunión, dijo:

—Mientras escuchaba el cuento y vuestros

comentarios, he tenido que reírme de mí misma. He sido como Kif durante mucho tiempo, siempre dudando y vacilando y con miedo a cambiar. No me había dado cuenta de que a casi todos nos pasa lo mismo. Me temo que he transmitido a mis hijos esa manera de actuar sin saberlo siquiera. Si ahora pienso en ello, veo que los cambios te llevan a un lugar nuevo y mejor, aunque cuando se producen temes que no sea así.

»Recuerdo cuando nuestro hijo estaba estudiando el segundo curso en la universidad. Debido al trabajo de mi marido, tuvimos que dejar Illinois y establecernos en Vermont. Nuestro hijo estaba muy triste por tener que dejar a sus amigos. Además, era una estrella de la natación y en Vermont no había equipo de ese deporte. Se enfadó con nosotros y nos culpó del traslado.

»Pero, al final, se enamoró de las montañas de Vermont, aprendió a esquiar, esquió con el equipo de la universidad y ahora vive feliz en Colorado. Si hubiéramos escuchado todos juntos el cuento del queso, mi familia se habría ahorrado muchas tensiones.

—Cuando llegue a casa —dijo Jessica—, se lo contaré a los míos y les preguntaré a mis hijos si creen que soy Oli, Corri, Kif o Kof, y quién creen que son ellos. Podríamos hablar de lo que pensamos que es queso viejo en nuestra familia y de cuál podría ser el nuevo queso.

—Es una buena idea —intervino Richard.

—Me parece que voy a ser más como Kof: me moveré cuando se mueva el queso y disfrutaré de él —comentó Frank—. Y voy a contarles esta historia a mis amigos, que están preocupados porque tienen que dejar el Ejército y por lo que el cambio supondrá para ellos. Seguro que provoca interesantes discusiones.

—Sí, así fue tal como mejoramos la empresa —dijo Michael—. Nos reunimos varias veces para discutir qué habíamos sacado en claro de la historia del queso y para decidir cómo podíamos aplicarla a nuestra situación concreta. Estuvo muy bien porque pudimos utilizar un lenguaje que resultaba divertido para hablar del cambio. En realidad, resultó muy efectivo. Sobre todo cuando lo divulgamos por toda la empresa.

—¿Y eso? —quiso saber Nathan.

—Cuanto más nos bajábamos en la escala jerárquica de la organización, encontrábamos a más personas que se sentían con menos poder. Era comprensible que el cambio les diera mucho miedo, ya que consideraban que se les imponía desde arriba. Por eso se resistían a él. Dicho en pocas palabras: cuando el cambio se impone, la gente se opone. Lo único que me queda por decir es que ojalá hubiera conocido antes este cuento.

—¿Por qué? —preguntó Carlos.

—Porque —prosiguió Michael— cuando

nos dispusimos a cambiar, la empresa había llegado a un punto tal que tuvimos que prescindir de muchos empleados, entre ellos algunos amigos. Fue muy duro para todos. Sin embargo, prácticamente todo el mundo, los que se quedaron y los que se marcharon, dijo que el cuento del queso le había ayudado a ver las cosas de otro modo y a adaptarse mejor a ellas. Los que tuvieron que buscar un nuevo empleo dijeron que al principio les resultó muy duro, pero que recordar la historia les fue de gran ayuda.

—¿Qué fue lo que más los ayudó? —preguntó Ángela.

—Una vez dejaron atrás el miedo —replicó Michael—, me dijeron que lo mejor fue advertir que el mundo estaba lleno de nuevo queso esperando que alguien lo encontrara. Que formarse una imagen mental del nuevo queso hacía que se sintieran mejor; en las entrevistas de trabajo tenían más confianza en sí mismos, y algunos encontraron un trabajo mejor.

—¿Y aquellos que se quedaron en tu empresa? —preguntó Laura.

—Pues en vez de quejarse de los cambios que estaban produciéndose —respondió Michael—, decían: «Nos han movido el queso. Vamos a buscar uno nuevo». De ese modo ahorramos mucho tiempo y redujimos las tensiones.

»Al poco, las personas que se habían resistido al cambio empezaron a verle las ventajas e incluso colaboraron en la tarea de llevarlo a cabo.

—¿Por qué crees que ocurrió? —dijo Cory.

—Creo que en gran parte se debió a la presión que pueden ejercer los compañeros en una empresa.

—¿Qué ocurre en casi todas las empresas cuando es la dirección la que anuncia el cambio? ¿Qué opina la gente del cambio? ¿Que es una buena idea o una mala idea?

—Una mala idea —respondió Frank.

—Sí —convino Michael—. ¿Por qué?

—Porque la gente quiere que las cosas sean siempre igual y cree que el cambio le perjudicará —dijo Carlos—. Cuando una persona lista dice que cambiar es mala idea, las demás dicen lo mismo.

—Sí, tal vez no piensen lo mismo —añadió Michael—, pero se muestran de acuerdo para parecer listas. Ese es el tipo de presión que se da entre compañeros y que combate los cambios en cualquier empresa.

—En las familias puede ocurrir lo mismo entre padres e hijos —intervino Becky. Y luego preguntó—: ¿Fueron muy distintas las cosas cuando la gente leyó el cuento del queso?

—Cambiaron de inmediato. Porque nadie quería parecerse a Kif —contestó Michael simplemente.

Todos rieron, incluido Nathan, que dijo:

—Ese es un punto interesante. En mi familia nadie querrá parecerse a Kif. Es posible incluso que cambien. ¿Por qué no nos contaste esta historia en la reunión anterior? Estoy convencido de que puede funcionar.

—Cuando vimos lo bien que nos había funcionado a nosotros —dijo Michael—, les pasamos la historia a algunas personas con las que queríamos hacer negocios porque sabíamos que en sus empresas también estaban produciéndose cambios. Les sugerimos que nosotros podíamos ser su «nuevo queso», es decir, unos socios mejores con los que triunfar juntos.

Eso le dio algunas ideas a Jessica y le recordó que tenía que hacer unas llamadas para unas ventas a primera hora de la mañana. Consultó el reloj y dijo:

—Bueno, es el momento de que me vaya de esta Central Quesera en busca de nuevo queso.

Todos se echaron a reír y se despidieron. Muchos querían seguir conversando, pero tenían que marcharse. Al hacerlo, volvieron a agradecerle a Michael que les hubiera contado el cuento.

—Me alegro mucho de que lo hayáis encontrado tan útil —les dijo él— y espero que pronto tengáis la oportunidad de compartirlo con otros.

Fin